Libro d
para diabéticos

The Complete Diabetes Cookbook, libro de cocina para diabéticos recién diagnosticados recetas sencillas y fáciles para comidas equilibradas y una vida sana

ÍNDICE DE CONTENIDOS

—

La información contenida en las siguientes páginas se considera, en términos generales, una exposición veraz y exacta de los hechos y, como tal, cualquier falta de atención, uso o mal uso de la información en cuestión por parte del lector hará que cualquier acción resultante sea únicamente de su incumbencia. No existe ningún escenario en el que el editor o el autor original de esta obra puedan ser considerados de alguna manera responsables de cualquier dificultad o daño que pueda ocurrirles después de emprender la información aquí descrita.

Además, la información contenida en las páginas siguientes tiene únicamente fines informativos, por lo que debe considerarse universal. Como corresponde a su naturaleza, se presenta sin garantía de su validez prolongada ni de su calidad provisional. Las marcas comerciales que se mencionan se hacen sin el consentimiento por escrito y no pueden considerarse en modo alguno como un respaldo del titular de la marca.

Batido de frambuesa y tofu

Tiempo de preparación: 15 minutos
Tiempo de cocción: 0 minutos
Raciones: 2
Ingredientes:

- 1½ tazas de frambuesas frescas

- 6 onzas de tofu sedoso firme, escurrido

- 1/8 de cucharadita de extracto de coco

- 1 cucharadita de stevia en polvo

- 1½ tazas de leche de almendras sin azúcar

- ¼ de taza de cubitos de hielo, triturados

Direcciones:

1. Añada todos los ingredientes en una batidora de alta velocidad y púlsela hasta que quede suave.

2. Verter el batido en dos vasos y servir inmediatamente.

Nutrición: Calorías 131 Grasas totales 5,5 g Grasas saturadas 0,6 g Colesterol 0 mg Sodio 167 mg Carbohidratos totales 14,6 g Fibra 6,8 g Azúcar 5,2 g Proteínas 7,7 g

Batido de mango

Tiempo de preparación: 10 minutos
Tiempo de cocción: 0 minutos
Raciones: 2
Ingredientes:

- 2 tazas de mango congelado, pelado, sin hueso y picado

- ¼ de taza de mantequilla de almendras

- Una pizca de cúrcuma molida

- 2 cucharadas de zumo de limón fresco

- 1¼ tazas de leche de almendras sin azúcar

- ¼ de taza de cubitos de hielo

Direcciones:

1. Añada todos los ingredientes en una batidora de alta velocidad y púlsela hasta que quede suave.

2. Verter el batido en dos vasos y servir inmediatamente.

Nutrición: Calorías 140 Grasas totales 4,1 g Grasas saturadas 0,6 g Colesterol 0 mg Sodio 118 mg Carbohidratos totales 26,8 g Fibra 3,6 g Azúcar 23 g Proteínas 2,5 g

Batido de piña

Tiempo de preparación: 10 minutos

Tiempo de cocción: 0 minutos

Raciones: 2

Ingredientes:

- 2 tazas de piña picada

- ½ cucharadita de jengibre fresco, pelado y picado

- ½ cucharadita de cúrcuma molida

- 1 cucharadita de suplemento natural de apoyo inmunológico *

- 1 cucharadita de semillas de chía

- 1½ tazas de té verde frío

- ½ taza de hielo picado

Direcciones:

1. Añada todos los ingredientes en una batidora de alta velocidad y púlsela hasta que quede suave.

2. Verter el batido en dos vasos y servir inmediatamente.

Nutrición: Calorías 152 Grasas totales 1 g Grasas saturadas 0 g Colesterol 0 mg Sodio 9 mg Carbohidratos totales 30 g Fibra 3,5 g Azúcar 29,8 g Proteínas 1,5 g

Batido de col rizada y piña

Tiempo de preparación: 15 minutos

Tiempo de cocción: 0 minutos

Raciones: 2

Ingredientes:

- 1½ tazas de col rizada fresca, recortada y picada

- 1 plátano congelado, pelado y picado

- ½ taza de trozos de piña fresca

- 1 taza de leche de coco sin azúcar

- ½ taza de zumo de naranja fresco

- ½ taza de hielo

Direcciones:

1. Añada todos los ingredientes en una batidora de alta velocidad y púlsela hasta que quede suave.

2. Verter el batido en dos vasos y servir inmediatamente.

Nutrición: Calorías 148 Grasas totales 2,4 g Grasas saturadas 2,1 g Colesterol 0 mg Sodio 23 mg Carbohidratos totales 31,6 g Fibra 3,5 g Azúcar 16,5 g Proteínas 2,8 g

Batido de verduras verdes

Tiempo de preparación: 15 minutos
Tiempo de cocción: 0 minutos
Raciones: 2
Ingredientes:

- 1 aguacate mediano, pelado, sin hueso y picado

- 1 pepino grande, pelado y picado

- 2 tomates frescos picados

- 1 pimiento verde pequeño, sin semillas y picado

- 1 taza de espinacas frescas, desgarradas

- 2 cucharadas de zumo de lima fresco

- 2 cucharadas de caldo de verduras casero

- 1 taza de agua alcalina

Direcciones:

1. Añada todos los ingredientes en una batidora de alta velocidad y púlsela hasta que quede suave.

2. Verter el batido en vasos y servir inmediatamente.

Nutrición: Calorías 275 Grasas totales 20,3 g Grasas saturadas 4,2 g Colesterol 0 mg Sodio 76 mg Carbohidratos totales 24,1 g Fibra 10,1 g Azúcar 9,3 g Proteínas 5,3 g

Batido de aguacate y espinacas

Tiempo de preparación: 10 minutos
Tiempo de cocción: 0 minutos
Raciones: 2
Ingredientes:

- 2 tazas de espinacas frescas

- ½ aguacate, pelado, sin hueso y picado

- 4-6 gotas de stevia líquida

- ½ cucharadita de canela molida

- 1 cucharada de semillas de cáñamo

- 2 tazas de agua alcalina fría

Direcciones:

1. Añada todos los ingredientes en una batidora de alta velocidad y púlsela hasta que quede suave.

2. Verter el batido en dos vasos y servir inmediatamente.

Nutrición: Calorías 132 Grasas totales 11,7 g Grasas saturadas 2,2 g Colesterol 0 mg Sodio 27 mg Carbohidratos totales 6,1 g Fibra 4,5 g Azúcar 0,4 g Proteínas 3,1 g

Pasas - Batido de plumas (RPS)

Tiempo de preparación: 10 minutos
Tiempo de cocción: 0 minutos
Porciones: 1
Ingredientes:

- 1 cucharadita de pasas

- 2 Cereza dulce

- 1 Pluma negra desollada

- 1 Taza de Té de Hierbas Calmantes para el Estómago del Dr. Sebi/ polvo de espalda de Cuachalate,

- ¼ Agua de coco

Direcciones:

1. Poner una cucharadita de pasas en agua caliente durante 5 segundos y escurrir el agua completamente.

2. Enjuagar, cortar en cubos la cereza dulce y la ciruela negra sin piel

3. Ponga a hervir 1 taza de agua; ponga ¾ de la infusión de hierbas para calmar el estómago del Dr. Sebi durante 10 - 15 minutos.

4. Si no puedes conseguir la tisana calmante para el estómago del Dr. Sebi, puedes alternativamente, cocer 1 cucharadita de Cuachalate en polvo con 1 taza de agua durante 5 - 10 minutos, retirar el extracto y dejarlo enfriar.

5. Vierta todos los elementos del ARPS dentro de una batidora y bata hasta conseguir un batido homogéneo.

6. Ahora está bien, para que usted pueda disfrutar del inevitable batido de desintoxicación.

La nutrición:

Calorías: 150

Grasa: 1,2 g

Carbohidratos: 79 g

Proteínas: 3,1 g

Batidos de clavo de olor (NCS)

Tiempo de preparación: 10 minutos
Tiempo de cocción: 0 minutos
Porciones: 1
Ingredientes:

- ¼ de taza de nori fresco

- 1 taza de plátano en cubos

- 1 cucharadita de cebolla picada o ¼ de cucharadita de cebolla en polvo

- ½ cucharadita de clavo de olor

- 1 taza de Dr. Sebi Energy Booster

- 1 cucharada de jarabe de agave

Direcciones:

1. Aclare los artículos ANCS con agua limpia.

2. Picar finamente la cebolla para tomar una cucharadita y cortar Nori fresco

3. Hervir 1½ cucharadita con 2 tazas de agua, retirar la partícula, dejar enfriar, medir 1 taza del extracto de té

4. Verter todos los elementos dentro de una batidora con el extracto de té y batir hasta conseguir batidos homogéneos.

5. Pásalo a una taza limpia y pasa un buen rato con un encantador desintoxicante y energizante para el cuerpo.

La nutrición:

Calorías: 78

Grasa: 2,3 g

Carbohidratos: 5 g

Proteínas: 6 g

Batidos de lechuga de Brasil (BLS)

Tiempo de preparación: 10 minutos
Tiempo de cocción: 0 minutos
Porciones: 1
Ingredientes:

- 1 taza de frambuesas

- ½ puñado de lechuga romana

- ½ taza de leche de nueces casera

- 2 nueces de Brasil

- ½ Uva grande con semilla

- 1 taza de agua de coco en gelatina suave

- Azúcar de dátiles al gusto

Direcciones:

1. En un recipiente limpio, enjuague la verdura con agua limpia.

2. Pique la lechuga romana y las frambuesas cortadas en cubos y añada los demás elementos a la licuadora y bata para lograr batidos homogéneos.

3. Sirve tu deliciosa desintoxicación medicinal.

La nutriciÓn:

Calorías: 168

Grasa: 4,5 g

Carbohidratos: 31.3 g

Azúcar: 19,2 g
Proteínas: 3,6 g

Batido de manzana y plátano (Abs)

Tiempo de preparación: 10 minutos
Tiempo de cocción: 0 minutos
Porciones: 1
Ingredientes:

- I Taza de manzana en cubos

- ½ Burro Banana

- ½ taza de mango en cubos

- ½ taza de sandía en cubos

- ½ cucharadita de cebolla en polvo

- 3 cucharadas de zumo de lima

- Azúcar de dátiles al gusto (si lo desea)

Direcciones:

1. En un recipiente limpio, enjuague la verdura con agua limpia.

2. Ponga el plátano, la manzana, el mango y la sandía en cubos y añada otros elementos a la batidora y mézclelos para conseguir batidos homogéneos.

3. Sirve tu deliciosa desintoxicación medicinal.

4. Como alternativa, se puede añadir una cucharada de cebolla roja cruda finamente cortada si no se dispone de cebolla en polvo.

La nutrición:

Calorías: 99

Grasa: 0,3g

Carbohidratos: 23 gramos

Proteínas: 1,1 g

Batido de jengibre y pera (GPS)

Tiempo de preparación: 10 minutos
Tiempo de cocción: 0 minutos
Porciones: 1
Ingredientes:

- 1 Pera grande con semilla y curada

- ½ Aguacate

- ¼ de puñado de berros

- ½ Naranja agria

- ½ taza de té de jengibre

- ½ taza de agua de coco

- ¼ de taza de agua de manantial

- 2 cucharadas de jarabe de agave

- Fecha Azúcar a satisfacción

Direcciones:

1. En primer lugar, hierve 1 taza de té de jengibre, tapa la taza y deja que se enfríe a temperatura ambiente.

2. Vierta todos los elementos de AGPS en su batidora limpia y homogenícelos hasta obtener un líquido suave.

3. Acaba de preparar un maravilloso batido romano de desintoxicación.

La nutrición:

Calorías: 101.
Proteínas: 1 g
Carbohidratos: 27 g
Fibra: 6 g

Batido de melón y amaranto (CAS)

Tiempo de preparación: 10 minutos
Tiempo de cocción: 0 minutos
Porciones: 1
Ingredientes:

- ½ taza de melón en cubos

- ¼ de puñado de amaranto verde

- ½ taza de leche de cáñamo casera

- ¼ de cucharadita de polvo de bromuro Plus del Dr. Sebi

- 1 taza de agua de coco

- 1 cucharadita de jarabe de agave

Direcciones:

1. Deberá enjuagar todos los elementos del ACAS con agua limpia.

2. Picar el amaranto verde, cortar el melón en cubos, transferir todo a una licuadora y batir hasta lograr un batido homogéneo.

3. Vierte en una taza limpia; añade el sirope de agave y la leche de cáñamo casera.

4. Revuélvalos y bébalos.

La nutrición:
Calorías: 55

Fibra: 1,5 g
Carbohidratos: 8 mg

Batido de garbanzos (GSS)

Tiempo de preparación: 10 minutos
Tiempo de cocción: 0 minutos
Porciones: 1
Ingredientes:

- 1 manzana grande cortada en cubos

- 1 Tomates frescos

- 1 cucharada de cebolla fresca finamente picada o ¼ de cucharadita de cebolla en polvo

- ¼ de taza de garbanzos hervidos

- ½ taza de leche de coco

- ¼ de calabaza mexicana en cubos Chayote

- 1 taza de té para aumentar la energía

Direcciones:

1. Deberá enjuagar los artículos AGSS con agua limpia.

2. Hervir 1½ Té Energético del Dr. Sebi con 2 tazas de agua limpia. Filtrar el extracto, medir 1 taza y dejar enfriar.

3. Cocer los garbanzos, escurrir el agua y dejarlos enfriar.

4. Vierta todos los elementos del AGSS en una batidora de alta velocidad y mezcle hasta conseguir un batido homogéneo.

---

5. Puede añadir azúcar de dátiles.

6. Sirve tu increíble batido y bebida.

La nutrición:

Calorías: 82.

Carbohidratos: 22 g

Proteínas: 2 g

Fibra: 7 g

Batidos de fresa y naranja (SOS)

Tiempo de preparación: 10 minutos
Tiempo de cocción: 0 minutos
Porciones: 1
Ingredientes:

- 1 taza de fresas cortadas en dados

- 1 Parte posterior de la naranja sevillana extraída

- ¼ de taza de pepino en cubos

- ¼ de taza de lechuga romana

- ½ Kelp

- ½ Burro Banana

- 1 taza de agua de coco en gelatina suave

- ½ taza de agua

- Fecha Azúcar.

Direcciones:

1. Utilice agua limpia para enjuagar todos los elementos vegetales de ASOS en un recipiente limpio.

2. Pique la lechuga romana; corte en dados la fresa, el pepino y el plátano; retire el dorso de la naranja sevillana y divídala en cuatro.

3. Transfiera todos los elementos de ASOS dentro de una batidora limpia y bata hasta conseguir un batido homogéneo.

4. Vierta en una taza grande y limpia y fortifique su cuerpo con una desintoxicación sabrosa.

La nutrición:

Calorías 298

Calorías de la grasa 9.

Grasa 1g

Colesterol 2mg

Sodio 73mg

Potasio 998mg

Carbohidratos 68g

Fibra 7g

Azúcar 50g

Batido de tamarindo y pera (TPS)

Tiempo de preparación: 10 minutos

Tiempo de cocción: 0 minutos

Porciones: 1

Ingredientes:

- ½ Burro Banana

- ½ taza de sandía

- 1 Frambuesas

- 1 higo chumbo

- 1 Uva con semilla

- 3 Tamarindo

- ½ pepino mediano

- 1 taza de agua de coco

- ½ taza de agua destilada

Direcciones:

1. Utilice agua limpia para enjuagar todos los elementos del ATPS.

2. Quitar la vaina del tamarindo y recoger la parte comestible alrededor de la semilla en un recipiente.

3. Si tiene que usar las semillas, entonces tiene que hervirlas durante 15 minutos y añadirlas a la parte comestible del tamarindo en el recipiente.

4. Cortar todas las demás frutas vegetales en cubos y transferir todos los elementos a una batidora de alta velocidad y batir hasta conseguir un batido homogéneo.

La nutrición:

Calorías: 199

Carbohidratos: 47 g

Grasa: 1g

Proteínas: 6g

Batido de bayas de saúco (CES)

Tiempo de preparación: 10 minutos
Tiempo de cocción: 0 minutos
Porciones: 1
Ingredientes:

- ¼ de taza de bayas de saúco en cubos

- 1 cereza ácida

- 2 Grosella

- 1 Plátano Burro en cubos

- 1 Fig.

- 1 taza de té de 4 hojas de laurel

- 1 taza de té para aumentar la energía

- Fecha Azúcar para su satisfacción

Direcciones:

1. Utilice agua limpia para enjuagar todos los elementos de ACES

2. Hervir inicialmente ¾ de cucharadita de té potenciador de energía con 2 tazas de agua en una fuente de calor y dejar hervir durante 10 minutos.

3. Añadir 4 hojas de laurel y hervir todo junto durante otros 4 minutos.

4. Escurrir el extracto de té en una taza grande limpia y dejar que se enfríe.

5. Transfiera todos los elementos a una batidora de alta velocidad y mezcle hasta conseguir un batido homogéneo.

6. Vierta el sabroso batido medicinal en una taza limpia y bébalo.

La nutrición:

Calorías: 63

Grasa: 0,22g

Sodio: 1,1mg

Carbohidratos: 15.5g

Fibra: 4,8g

Azúcares: 8,25g

Proteínas: 1,6g

Batido de fresas Sweet Dream

Tiempo de preparación:1 5 minutos

Tiempo de cocción: 0

Porciones: 1

Ingredientes:

- 5 Fresas

- 3 Fechas - Fosas eliminadas

- 2 plátanos Burro o plátanos pequeños

- Agua de manantial para 32 onzas líquidas de batido

Direcciones:

1. Quitar la piel a los plátanos.

2. Lavar los dátiles y las fresas.

3. Incluya los plátanos, los dátiles y las fresas en el recipiente de la batidora.

4. Incluir un par de agua y mezclar.

5. Siga incluyendo el agua adecuada para persuadir hasta ser 32 onzas de batido.

La nutrición:

Calorías: 282

Grasa: 11g

Carbohidratos: 4g

Proteínas: 7g

Batido alcalino de jengibre verde y plátano

Tiempo de preparación: 15 minutos

Tiempo de cocción: 0

Porciones: 1

Ingredientes:

- Un puñado de col rizada

- un plátano congelado

- Dos tazas de leche de semillas de cáñamo

- Una pulgada de jengibre, finamente picado

- Media taza de fresas picadas, congeladas

- 1 cucharada de agave o su edulcorante preferido

Direcciones:

1. Mezclar todos los **ingredientes** en una batidora y mezclar a alta velocidad.

2. Deje que se mezcle uniformemente.

3. Vierte en una jarra con unas cuantas pajitas decorativas y voilà eres un campista feliz.

4. Que lo disfrutes.

La nutrición:

Calorías: 350

Grasa: 4g

Carbohidratos: 52g

Proteínas: 16g

Batido Detox de Naranja

Tiempo de preparación: 15 minutos
Tiempo de cocción: 0
Porciones: 1
Ingredientes:

- Una taza de verduras (amaranto, diente de león, lechuga o berro)

- Medio aguacate

- Una taza de agua de coco con jalea tierna

- Una naranja sevillana

- Zumo de una lima

- Una cucharada de bromuro más polvo

Cómo llegar :

1. Pelar y cortar la naranja sevillana en trozos.

2. Mezclar todos los **ingredientes** colectivamente en una batidora de alta velocidad hasta que estén hechos.

La nutrición:

Calorías: 71

Grasa: 1g

Carbohidratos: 12g

Proteínas: 2g

Batido de pepino para eliminar las toxinas

Tiempo de preparación: 15 minutos

Tiempo de cocción: 0

Porciones: 1

Ingredientes:

- 1 pepino

- 1 Key Lime

- 1 taza de sandía (sin semillas), cortada en cubos

Direcciones:

1. Mezclar todos los **ingredientes anteriores** en una batidora de alta velocidad.

2. Teniendo en cuenta que la sandía y los pepinos son en gran parte agua, es posible que no quieras añadir nada más, aunque puedes hacerlo si quieres.

3. Haz el zumo de la lima y añádelo a tu batido.

4. Que lo disfrutes.

La nutrición:

Calorías: 219

Grasa: 4g

Carbohidratos: 48g

Proteínas: 5g

Batido de manzana y arándanos

Tiempo de preparación: 15 minutos
Tiempo de cocción: 0
Porciones: 1
Ingredientes:

- Media manzana

- Una fecha

- Media taza de arándanos

- Media taza de callo espumoso

- Una cucharada de semillas de cáñamo

- Una cucharada de semillas de sésamo

- Dos tazas de agua de coco con gas y gelatina suave

- Media cucharada de bromuro más polvo

Direcciones:
1. Mezclar todos los **ingredientes** en una batidora de alta velocidad y disfrutar.

La nutrición:

Calorías: 167.4

Grasa: 6,4g

Carbohidratos: 22.5g

Proteínas: 6,7g

Batido de diente de león y aguacate

Tiempo de preparación: 15 minutos
Tiempo de cocción: 0
Porciones: 1
Ingredientes:

- Una taza de diente de león
- Una naranja (en zumo)
- Agua de coco
- Un aguacate
- Una lima (zumo)

Direcciones:

1. En una batidora de alta velocidad hasta que esté suave, mezcle **los ingredientes**.

La nutrición:

Calorías: 160

Grasa: 15 gramos

Carbohidratos: 9 gramos

Proteínas: 2 gramos

Batido de amaranto y aguacate

Tiempo de preparación: 15 minutos

Tiempo de cocción: 0

Porciones: 1

Ingredientes:

- Una lima (zumo).
- Dos manzanas cortadas en rodajas (sin semillas).
- Medio aguacate.
- Dos tazas llenas de hojas de amaranto.
- Dos tazas de berros.
- Una taza de agua.

Direcciones:

1. Añade todas las recetas juntas y pásalas a la batidora. Licuar bien hasta que quede suave.

La nutrición:

Calorías: 160

Grasa: 15 gramos

Carbohidratos: 9 gramos

Proteínas: 2 gramos

Batido de lechuga, naranja y plátano

Tiempo de preparación: 15 minutos

Tiempo de cocción: 0

Porciones: 1

Ingredientes:

- Una taza y media de lechuga fresca.
- Un plátano grande.
- Una taza de bayas mixtas de su elección.
- Una naranja exprimida.

Direcciones:

1. En primer lugar, añada el zumo de naranja a su batidora.
2. Añadir el resto de las recetas y mezclar bien.
3. Disfruta del resto del día.

La nutrición:

Calorías: 252,1

Proteínas: 4,1 g

Delicioso batido de saúco

Tiempo de preparación: 15 minutos
Tiempo de cocción: 0
Porciones: 1
Ingredientes:

- Una taza de saúco
- Una taza de pepino
- Una manzana grande
- Un cuarto de taza de agua

Direcciones:

1. Añade todas las recetas juntas en una batidora. Triturar muy bien hasta que estén uniformemente suaves y disfrutar.

La nutrición:

Calorías: 106

Carbohidratos: 26.68

Batido de melocotón y calabacín

Tiempo de preparación: 15 minutos
Tiempo de cocción: 0
Porciones: 1
Ingredientes:

- Media taza de calabaza.
- Media taza de melocotones.
- Un cuarto de taza de agua de coco.
- Media taza de calabacín.

Direcciones:
1. Añade todas las recetas juntas en una batidora y bate hasta que esté suave y sirve.

La nutrición:

55 calorías

0g de grasa

2g de proteínas

10 mg de sodio

14 G Carbohidratos

2g de fibra

Batido de jengibre, naranja y fresa

Tiempo de preparación: 15 minutos

Tiempo de cocción: 0

Porciones: 1

Ingredientes:

- Una taza de fresa.
- Una naranja grande (zumo)
- Un plátano grande.
- Un cuarto de jengibre de tamaño pequeño (pelado y cortado en rodajas).

Direcciones:

2. Pasar el zumo de naranja a una batidora limpia.

3. Añada el resto de las recetas y mezcle bien hasta que esté suave.

4. Disfruta. ¡Wow! Has terminado el noveno día de tu viaje de pérdida de peso y desintoxicación.

La nutrición:

32 calorías

0,3g de grasa

2g de proteínas

10 mg de sodio

14g de carbohidratos

Agua

2g de fibra.

Batido desintoxicante de col, perejil y semillas de chía

Tiempo de preparación: 15 minutos

Tiempo de cocción: 0

Porciones: 1

Ingredientes:

- Tres cucharadas de semillas de chía (molidas).
- Una taza de agua.
- Un plátano en rodajas.
- Una pera (picada).
- Una taza de col rizada orgánica.
- Una taza de perejil.
- Dos cucharadas de zumo de limón.
- Una pizca de canela.

Direcciones:

1. Añada todas las recetas juntas en una licuadora y vierta el agua antes de licuar. Licuar a alta velocidad hasta que quede suave y disfrutar. Puede o no ponerlo en la nevera dependiendo del calor o el frío que haga.

La nutrición:

75 calorías

1g de grasa

5g de proteína

10g de fibra

Limonada de sandía

Tiempo de preparación: 5 minutos
Tiempo de cocción: 0 minutos
Porciones: 6

Cuando se trata de bebidas refrescantes para el verano, la limonada es siempre la primera de la lista. Esta "limonada" de sandía es perfecta para aprovechar las sobras de sandía o para esos días de principios de otoño en los que las tiendas y los agricultores casi las regalan. También puedes sustituir el agua fría por 4 tazas de hielo para crear un delicioso granizado veraniego.

Ingredientes

- 4 tazas de sandía en dados

- 4 tazas de agua fría

- 2 cucharadas de zumo de limón recién exprimido

- 1 cucharada de zumo de lima recién exprimido

Direcciones

1. En una batidora, combina la sandía, el agua, el zumo de limón y el zumo de lima, y bate durante 1 minuto.

2. Pase el contenido por un colador de malla fina o por una bolsa de leche de frutos secos. Sírvalo frío. Conservar en el frigorífico hasta 3 días.

CONSEJO PARA SERVIR: Corta unos gajos de limón o lima para acompañar tu Limenade de sandía, o ponle unas hojas de menta fresca para darle un sabor extra crujiente y mentolado.

Nutrición

Calorías: 60

Refresco de naranja burbujeante

Tiempo de preparación: 5 minutos

Tiempo de cocción: 0 minutos

Porciones: 4

Los refrescos pueden ser una de las cosas más difíciles de dejar cuando se adopta por primera vez una dieta WFPB. Esto se debe en parte a que los azúcares refinados y la cafeína son adictivos, pero también puede ser porque las bebidas carbonatadas son divertidas. Con el dulzor del zumo de naranja y el burbujeo del agua carbonatada, este "refresco" de naranja es perfecto para ayudar en la transición del SAD al WFPB.

Ingredientes

- 4 tazas de agua con gas

- 2 tazas de zumo de naranja sin pulpa (4 naranjas, recién exprimidas y coladas)

Direcciones

1. Para cada porción, vierta 2 partes de agua con gas y 1 parte de zumo de naranja sobre hielo justo antes de servir.

2. Remover y disfrutar.

CONSEJO PARA SERVIR: Esta receta es mejor hacerla justo antes de beberla. La cantidad de efervescencia del agua carbonatada disminuirá cuanto más tiempo esté abierta, así que si vas a prepararla con antelación, asegúrate de guardarla en un recipiente hermético y apto para el frigorífico.

Nutrición

Calorías: 56

Leche de anacardo cremosa

Tiempo de preparación: 5 minutos
Tiempo de cocción: 0 minutos
Porciones: 8

Aprender a hacer tus propias leches vegetales puede ser una de las mejores maneras de ahorrar dinero y abandonar los productos lácteos para siempre. Esta es una de las recetas de leche más fáciles de dominar, y si tienes una batidora de alta velocidad, puedes saltarte el paso de colar y pasar directamente a un recipiente apto para la nevera. Los frascos grandes funcionan muy bien para almacenar la leche vegetal, ya que te permiten agitarla rápidamente antes de cada uso.

Ingredientes

- 4 tazas de agua

- ¼ de taza de anacardos crudos, remojados toda la noche

Direcciones

1. En una batidora, mezcle el agua y los anacardos a alta velocidad durante 2 minutos.

2. Colar con una bolsa de leche de nueces o una gasa, y guardar en la nevera hasta 5 días.

CONSEJO DE VARIACIÓN: Esta receta hace leche de anacardo sin azúcar que puede utilizarse en platos salados y dulces. Para una versión más cremosa para poner en su café, reduzca la cantidad de agua a la mitad. Para una versión más dulce, añada 1 ó 2 cucharadas de jarabe de arce y 1 cucharadita de extracto de vainilla antes de batir.

Nutrición

Calorías: 18

Leche de avena casera

Tiempo de preparación: 5 minutos
Tiempo de cocción: 0 minutos
Porciones: 8

La leche de avena es una opción fantástica si necesitas una leche sin frutos secos o simplemente quieres una leche vegetal extremadamente barata. Hacer un tarro de medio galón en casa cuesta una fracción del precio de otras leches vegetales o lácteas. La leche de avena puede utilizarse tanto en platos salados como dulces.

Ingredientes

- 1 taza de copos de avena

- 4 tazas de agua

Direcciones

1. Poner la avena en un bol mediano y cubrirla con agua fría. Déjala en remojo durante 15 minutos, luego escúrrela y aclárala.

2. Vierta el agua fría y la avena remojada en una batidora. Licuar de 60 a 90 segundos, o sólo hasta que la mezcla tenga un color blanco cremoso. (Si se sigue licuando, la avena puede quedar demasiado mezclada, lo que daría lugar a una leche gomosa).

3. Colar a través de una bolsa de leche de nueces o un colador, y guardar en la nevera hasta 5 días.

CONSEJO DE VARIACIÓN: Esta receta puede convertirse fácilmente en leche de avena con chocolate. Una vez que hayas colado la leche de avena, vuelve a ponerla en una batidora con 3 cucharadas de cacao en polvo, 2 cucharadas de sirope de arce y 1 cucharadita de extracto de vainilla, y bate durante 30 segundos.

Nutrición

Calorías: 39

Batido de menta de la suerte

Tiempo de preparación: 5 minutos
Tiempo de cocción: 0 minutos
Raciones: 2

A medida que se acerca la primavera y la menta empieza a adueñarse de nuevo del jardín, los batidos verdes de temática "irlandesa" empiezan a aparecer también. En contraste con los batidos tradicionalmente ricos en grasas y azúcares, este batido es una opción maravillosa para los días soleados de primavera. Así que la próxima vez que quiera tomar algo fresco y con sabor a menta, hágalo con un batido de menta de la suerte, que es muy saludable.

Ingredientes

- 2 tazas de leche vegetal (aquí o aquí)

- 2 plátanos congelados, cortados por la mitad

- 1 cucharada de hojas de menta fresca o ¼ de cucharadita de extracto de menta

- 1 cucharadita de extracto de vainilla

Direcciones

1. En una licuadora, combine la leche, los plátanos, la menta y la vainilla. Licuar a máxima potencia durante 1 o 2 minutos, o hasta que el contenido alcance una consistencia suave y cremosa, y servir.

CONSEJO DE VARIACIÓN: Si te gusta colar verduras en los batidos, añade una o dos tazas de espinacas para potenciar los beneficios para la salud de este batido y darle un aspecto aún más verde.

Nutrición

Calorías: 152

Batido Isla Paraíso

Tiempo de preparación: 5 minutos

Tiempo de cocción: 0 minutos

Raciones: 2

Ingredientes:

- 2 tazas de leche vegetal (aquí o aquí)

- 1 plátano congelado

- ½ taza de trozos de mango congelados

- ½ taza de trozos de piña congelada

- 1 cucharadita de extracto de vainilla

Direcciones:

1. En una licuadora, combine la leche, el plátano, el mango, la piña y la vainilla. Licuar a máxima potencia durante 1 o 2 minutos, o hasta que el contenido alcance una consistencia suave y cremosa, y servir.

SUGERENCIA: Si te sobra batido, puedes ponerlo en un frasco con algunos copos de avena y dejar la mezcla en remojo en la nevera durante la noche para crear una versión tropical de la avena de la noche.

Nutrición

Calorías: 176

Batido de tarta de manzana

Tiempo de preparación: 5 minutos
Tiempo de cocción: 0 minutos
Raciones: 2

Este batido es ideal para un desayuno rápido o un postre fresco. Su combinación de manzanas dulces y canela cálida seguramente conquistará a niños y adultos por igual. Si las vacaciones te pillan en una zona cálida, este batido puede ser la delicia fresca que estabas buscando para sustituir a la tarta a la hora del postre.

Ingredientes

- 2 manzanas dulces crujientes, cortadas en cubos de 1 pulgada

- 2 tazas de leche vegetal (aquí o aquí)

- 1 taza de hielo

- 1 cucharada de jarabe de arce

- 1 cucharadita de canela molida

- 1 cucharadita de extracto de vainilla

Dirección

1. En una licuadora, combine las manzanas, la leche, el hielo, el jarabe de arce, la canela y la vainilla. Licuar a máxima potencia durante 1 o 2 minutos, o hasta que el contenido alcance una consistencia suave y cremosa, y servir.

CONSEJO DE VARIACIÓN: También puedes utilizar esta receta para hacer avena de un día para otro. Licúa tu batido, mézclalo con 2 tazas de avena arrollada y refrigéralo toda la noche para tener un desayuno preelaborado para dos.

Nutrición

Calorías: 198

Batido de chocolate y nueces

Tiempo de preparación: 10 minutos
Tiempo de cocción: 0 minutos
Porción: 2
Ingredientes

- 2 tazas de coco sin endulzar, de almendra
- 1 plátano, cortado en rodajas y congelado
- ¼ de taza de copos de coco sin azúcar
- 1 taza de cubitos de hielo
- ¼ de taza de nueces de macadamia picadas
- 3 cucharadas de edulcorante sin azúcar
- 2 cucharadas de cacao crudo sin azúcar en polvo
- Nata de coco batida

Direcciones

1.Poner todos los ingredientes en una batidora y batir a velocidad alta hasta que esté suave y cremoso.

2.Repartir uniformemente entre 4 vasos de "mocktail" y cubrir con crema de coco batida, si se desea.

3.Añade una sombrilla de cóctel y coco tostado para darle un toque más.

4.¡Disfruta de tu delicioso batido de chocolate y nueces!

Nutrición

12g de carbohidratos

3g de proteínas

199 Calorías

Batido de piña y fresa

Tiempo de preparación: 7 minutos

Tiempo de cocción: 0 minutos

Porción: 2

Ingredientes:

- 1 taza de fresas

- 1 taza de piña picada

- ¾ de taza de leche de almendras

- 1 cucharada de mantequilla de almendras

Direcciones:

1.Añade todos los ingredientes a una batidora.

2.Licuar hasta que esté suave.

3.Añade más leche de almendras hasta que alcance la consistencia deseada.

4.Enfriar antes de servir.

La nutrición:

255 calorías

39g de carbohidratos

5,6g de proteínas

Batido de melón

Tiempo de preparación: 11 minutos
Tiempo de cocción: 0 minutos
Porción: 2
Ingredientes:

- ¾ de taza de zumo de zanahoria

- 4 tazas de melón, cortado en cubos

- Una pizca de sal

- Bolas de melón congeladas

- Albahaca fresca

Direcciones:

1.Añade el zumo de zanahoria y los cubos de melón a una batidora. Espolvorear con sal.

2.Procesar hasta que esté suave.

3.Pasar a un bol.

4.Enfriar en la nevera durante al menos 30 minutos.

5.Cubrir con las bolas de melón congeladas y la albahaca antes de servir.

La nutrición:
135 calorías
31g de carbohidratos

3,4 g de proteínas

Batido de bayas con menta

Tiempo de preparación: 7 minutos

Tiempo de cocción: 0 minutos

Porción: 2

Ingredientes:

- ¼ de taza de zumo de naranja

- ½ taza de arándanos

- ½ taza de moras

- 1 taza de kéfir natural reducido en grasas

- 1 cucharada de miel

- 2 cucharadas de hojas de menta fresca

Direcciones:

1.Añade todos los ingredientes a una batidora.

2.Licuar hasta que esté suave.

La nutrición:

137 calorías

27g de carbohidratos

6g de proteínas

Batido verde

Tiempo de preparación: 12 minutos

Tiempo de cocción: 0 minutos

Porción: 2

Ingredientes:

- 1 taza de leche de almendras de vainilla (sin azúcar)

- ¼ de aguacate maduro, picado

- 1 taza de col rizada picada

- 1 plátano

- 2 cucharaditas de miel

- 1 cucharada de semillas de chía

- 1 taza de cubitos de hielo

Direcciones:

1.Combine todos los ingredientes en una licuadora.

2.Procesar hasta que esté cremoso.

La nutrición:

343 calorías

14,7g Carbohidratos

5,9 g de proteínas

Batido de plátano, coliflor y bayas

Tiempo de preparación: 9 minutos
Tiempo de cocción: 0 minutos
Porción: 2
Ingredientes:

- 2 tazas de leche de almendras (sin azúcar)
- 1 taza de plátano en rodajas
- ½ taza de arándanos
- ½ taza de moras
- 1 taza de arroz de coliflor
- 2 cucharaditas de jarabe de arce

Direcciones:

1.Vierte la leche de almendras en una batidora.

2.Incorporar el resto de los ingredientes.

3.Procesar hasta que esté suave.

4.Enfriar antes de servir.

La nutrición:
149 calorías
29g de carbohidratos
3g de proteínas

Batido de bayas y espinacas

Tiempo de preparación: 11 minutos

Tiempo de cocción: 0 minutos

Porción: 2

Ingredientes:

- 2 tazas de fresas

- 1 taza de frambuesas

- 1 taza de arándanos

- 1 taza de hojas de espinacas frescas

- 1 taza de zumo de granada

- 3 cucharadas de leche en polvo (sin azúcar)

Direcciones:

1.Mezclar todos los ingredientes en una batidora.

2.Licuar hasta que esté suave.

3.Enfriar antes de servir.

La nutrición:

118 calorías

25,7g Carbohidratos

4,6g de proteínas

Batido de mantequilla de cacahuete con arándanos

Tiempo de preparación: 12 minutos

Tiempo de cocción: o minutos

Porción: 2

Ingredientes:

- 2 cucharadas de mantequilla de cacahuete cremosa
- 1 taza de leche de almendras de vainilla (sin azúcar)
- 6 oz. de tofu suave y sedoso
- ½ taza de zumo de uva
- 1 taza de arándanos
- Hielo picado

Direcciones:

1.Mezclar todos los ingredientes en una batidora.

2.Procesar hasta que esté suave.

La nutrición:

247 calorías

30g de carbohidratos

10,7 g de proteínas

Batido de melocotón y albaricoque

Tiempo de preparación: 11 minutos

Tiempo de cocción: 0 minutos

Porción: 2

Ingredientes:

- 1 taza de leche de almendras (sin azúcar)

- 1 cucharadita de miel

- ½ taza de albaricoques, en rodajas

- ½ taza de melocotones, en rodajas

- ½ taza de zanahoria picada

- 1 cucharadita de extracto de vainilla

Direcciones:

1.Mezclar la leche y la miel.

2.Verter en una batidora.

3.Añadir los albaricoques, los melocotones y las zanahorias.

4.Incorporar la vainilla.

5.Licuar hasta que esté suave.

La nutrición:

153 calorías

30g de carbohidratos

32,6 g de proteínas

Batido tropical

Tiempo de preparación: 8 minutos

Tiempo de cocción: 0 minutos

Porción: 2

Ingredientes:

- 1 plátano en rodajas

- 1 taza de mango, en rodajas

- 1 taza de piña en rodajas

- 1 taza de melocotones en rodajas

- 6 oz. de yogur de coco sin grasa

- Cuñas de piña

Direcciones:

1.Congela las rodajas de fruta durante 1 hora.

2.Pasar a una batidora.

3.Incorporar el resto de los ingredientes, excepto los trozos de piña.

4.Procesar hasta que esté suave.

5.Adornar con trozos de piña.

La nutrición:

102 calorías

22,6g Carbohidratos

2,5 g de proteínas

Batido de plátano y fresa

Tiempo de preparación: 7 minutos

Tiempo de cocción: 0 minutos

Porción: 2

Ingredientes:

- 1 plátano en rodajas

- 4 tazas de fresas frescas, cortadas en rodajas

- 1 taza de cubitos de hielo

- 6 oz. de yogur

- 1 kiwi en rodajas

Direcciones:

1.Añade el plátano, las fresas, los cubitos de hielo y el yogur en una batidora.

2.Licuar hasta que esté suave.

3.Adornar con rodajas de kiwi y servir.

La nutrición:

54 calorías

11,8g Carbohidratos

1,7 g de proteínas

Batido de melón y papaya

Tiempo de preparación: 9 minutos
Tiempo de cocción: 0 minutos
Porción: 2
Ingredientes:

- ¾ de taza de leche baja en grasa

- ½ taza de papaya picada

- ½ taza de melón picado

- ½ taza de mango, cortado en cubos

- 4 cubitos de hielo

- Ralladura de lima

Direcciones:

1.Vierta la leche en una batidora.

2.Añadir las frutas picadas y los cubitos de hielo.

3.Licuar hasta que esté suave.

4.Adornar con ralladura de lima y servir.

La nutrición:
207 calorías
18,4g Carbohidratos
7,7 g de proteínas

Batido de sandía y melón

Tiempo de preparación: 10 minutos

Tiempo de cocción: 0 minutos

Porción: 2

Ingredientes:

- 2 tazas de sandía en rodajas

- 1 taza de melón en rodajas

- ½ taza de yogur descremado

- ¼ de taza de zumo de naranja

Direcciones:

1. *Añade todos los ingredientes a una batidora.*

2. *Mezclar hasta que esté cremoso y suave.*

3. *Enfriar antes de servir.*

La nutrición:

114 Calorías

13g de carbohidratos

4,8 g de proteínas

Batido de frambuesa y mantequilla de cacahuete

Tiempo de preparación: 10 minutos

Tiempo de cocción: 0 minutos

Porción: 2

Ingredientes:

- Mantequilla de cacahuete, suave y natural [2 cucharadas]
- Leche desnatada [2 cucharadas]
- Frambuesas, frescas [1 o 1 ½ tazas]
- Cubitos de hielo [1 taza]
- Stevia [2 cucharaditas]

Direcciones:

1. *Coloque todos los ingredientes en su batidora. Ponga la batidora a hacer puré. Sirva.*

La nutrición:

170 calorías

8,6g de grasa

20g de carbohidratos

Batido de fresas, col rizada y jengibre

Tiempo de preparación: 13 minutos

Tiempo de cocción: 0 minutos

Porción: 2

Ingredientes:

- Hojas de col rizada, frescas y grandes sin tallos [6 uds.]

- Jengibre rallado, crudo y pelado [2 cucharaditas].

- Agua fría [½ taza]

- Zumo de lima [3 cucharadas]

- Miel [2 cucharaditas]

- Fresas, frescas y recortadas [1 o 1 ½ tazas]

- Cubitos de hielo [1 taza]

Direcciones:

1. *Coloque todos los ingredientes en su batidora. Ponga a hacer puré. Sirva.*

La nutrición:

205 calorías

2,9 g de grasa

42,4g Carbohidratos

Recetas de té de hierbas

Té helado de Rooibos con limón

Tiempo de preparación: 10 minutos

Tiempo de cocción: 0 minutos

Porción: 4

Ingrediente:

- 4 bolsas de té rooibos natural sin sabor

- 4 tazas de agua hirviendo

- 3 cucharadas de zumo de limón recién exprimido

- 30-40 gotas de stevia líquida

Direcciones

1.Coloca las bolsitas de té en la tetera y vierte el agua hirviendo sobre las bolsitas.

2.Poner a temperatura ambiente, y luego refrigerar el té hasta que esté helado.

3.Saque las bolsas de té. Apriételas suavemente.

4.Añadir el zumo de limón y la stevia líquida al gusto y remover hasta que esté bien mezclado.

5.Servir inmediatamente, preferiblemente con cubitos de hielo y alguna guarnición agradable, como gajos de limón.

La nutrición:

70 calorías

16g Carbohidratos
1g de proteína